EDICIÓN GENERAL
María Elena Pease

CHEF
Lalo Martins

EDICIÓN
Carolina De Andrea

GESTIÓN DE PRODUCTO
Rosario Cáceres

DIRECCIÓN DE ARTE
Rafael Gómez

FOTOGRAFÍA
Antonio Incháustegui

ESTILISTA DE ALIMENTOS
Paola Marsano

ASISTENTA DE ESTILISTA
Silvana Moretti Chincha

DIAGRAMACIÓN
Ana Claudia Espíritu

REVISIÓN Y ESTILO
Juan Yangali

COORDINACIÓN DE PRODUCTO
Luis Núñez

Pastas

Es un producto creado y diseñado por
© Editorial Septiembre S.A.C. 2011
De esta primera edición, septiembre 2011
Jr. Camaná 320, Lima 01 Teléfono: 711-6090
e-mail: contenidos@editorialseptiembre.com
web: www.editorialseptiembre.com
Derechos reservados: Editorial Septiembre S.A.C.
Hecho en el Perú

SEPTIEMBRE

Proyecto editorial N° 11501001101706
Hecho el Depósito Legal en la Biblioteca Nacional del Perú N° 2011-09712
Tiraje: 12,000
ISBN: 978-612-308-022-8
Impreso en los talleres gráficos de Empresa Editora El Comercio
Juan del Mar y Bernedo 1318 Chacra Ríos Sur-Cercado de Lima

Pastas

índice

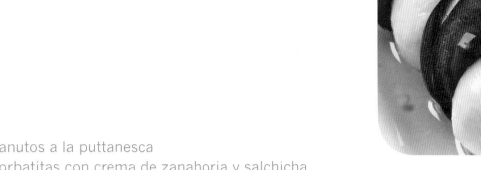

Presentación

La buena pasta

La gastronomía italiana es una de las más celebradas del mundo. Su secreto radica en la frescura de los insumos que emplea, más que en lo laborioso de sus preparaciones. Así, gran parte de su cocina descansa en unos cuantos ingredientes de primera calidad que, combinados, dan lugar a auténticos manjares. Tomates, aceite de oliva, queso parmesano... son solo algunos de los protagonistas de este arte culinario que ha logrado seducir a los paladares más exigentes.

El genio artístico que ha caracterizado a Italia a través de los siglos no podía estar ausente en su evolución gastronómica. Y en este exquisito proceso cada región ha sabido incorporar su propio estilo a las recetas. Por ello, no es de extrañar que existan infinidad de variaciones de un mismo platillo e, incluso, de un mismo producto.

Editorial Septiembre le ofrece **Pastas**, una publicación con exquisitas recetas de espaguetis, lingüinis, ñoquis, ravioles, capeletis y lasañas, además de ensaladas y pizzas. Lo invitamos a disfrutar de esta selección de primer nivel que le deparará grandes satisfacciones.

Pasta seca y pasta fresca

La gran variedad de pastas nos permite clasificarlas de muy divesas maneras. Una forma es tomar en cuenta sus formas, colores y tamaños; otra opción es enfocarse en su proceso de producción, y así encontramos dos grandes categorías: la pasta seca y la pasta fresca.

Aunque para muchos la pasta fresca es mucho mejor que la seca, lo adecuado es valorar las propiedades de cada una de ellas, pues se emplean en diferentes situaciones. De hecho, hay muchos platos que se potencian más cuando se elaboran con pasta fresca, mientras que otros solamente se sirven con pasta seca, por lo que el reto está en conocer qué tipo es el indicado para cada preparación.

Pasta seca

Existen más de 350 tipos de pasta seca, de innumerables formas y variedades, aunque en sus preparaciones no siempre se siga la ley italiana que dicta que deben contener únicamente harina de sémola de trigo duro y agua (de agregársele huevo, por ejemplo, tendremos la pasta al huevo). Sin embargo, hay dos factores que determinan que la pasta seca italiana sea la mejor del mundo: los métodos que emplean para el secado y la extrusión (que da forma a la pasta).

Una pasta seca de buena calidad se reconoce porque cumple tres requisitos. En primer lugar, es de color amarillo brillante. En segundo lugar, es resistente a la cocción y aumenta de volumen, lo que permite arribar a la tercera exigencia: lograr la cocción *al dente*, el perfecto equilibrio en una pasta cocida por fuera pero algo cruda por dentro.

Al momento de cocinar, el tipo de pasta seca lo determinará la receta a elaborar: para un plato con abundante salsa, utilizaremos una pasta de textura rugosa, pues atrapará mejor el sabor de la preparación. Si, por el contrario, nuestra receta no contiene mucha salsa, lo aconsejable es elegir una pasta de contextura más lisa.

La mayoría de preparaciones con pasta requieren de muy poco tiempo. Basta con conocer pequeños secretos para potenciar su sabor y textura. El resto es una permanente invitación a la creatividad.

Pasta fresca

La pasta fresca se elabora de modo artesanal empleando ingredientes básicos como harina (o sémola), huevos y agua. Dado que no se somete a un proceso prolongado de deshidratación, contiene alrededor de 30% de agua, a diferencia de la pasta seca o industrial, cuyo porcentaje es de apenas 12%. Por esta razón, además, debe conservarse refrigerada y su tiempo de cocción es menor (diez minutos como máximo).

En su elaboración, el huevo puede ser reemplazado con purés caseros, que le darán las tonalidades características de la pasta de colores: el tomate le dará un matiz rojo; la remolacha o betarraga, uno rosado; las espinacas, uno verde, etc. Las texturas, sabores y colores que podemos descubrir dependerán de nuestra creatividad y de los ingredientes que tengamos a nuestra disposición.

Las variedades de pasta fresca más conocidas son los ravioles, los cappeletis y los tortellinis, pero también debemos considerar a aquella en tiras y sin relleno: fetuchinis, espaguetis, etc. La única diferencia entre ellas en su forma, pues sus propiedades nutritivas y culinarias son exactamente las mismas. Todo depende de la presentación del plato y de las preferencias de cada comensal a la hora de degustar este placer gastronómico procedente de Italia.

Secado y almacenaje

Cuando elaboramos pasta fresca, debemos someterla a un proceso artesanal de secado que varía según las características propias de la pasta —tamaño, forma y grosor— y de la temperatura y la humedad del lugar. Es fundamental, además, que durante el secado la pasta no se toque entre sí, para que no se pegue, y que sea volteada de vez en cuando para que el secado sea uniforme.

Una vez que la pasta está completamente seca, se puede almacenar en un recipiente hermético, a temperatura ambiente, durante varios meses.

Secado previo al corte

Estirar la masa. Si se va a cortar en tiras (pasta larga), dejarla secar durante quince minutos y proceder a cortarla, ya sea a máquina o a mano. Si se va a elaborar pasta rellena, lo aconsejable es no dejarla secar, sino estirar la masa, cortarla y rellenarla.

Secado antes de cocinar

Cortar la pasta y colocarla sobre una superficie ligeramente enharinada. Dejarla secar por un tiempo mínimo de quince minutos y cocinarla.

Secado antes del almacenamiento

La forma de secar la pasta antes de almacenarla dependerá del tiempo que tiene pensado conservarla.

Las instrucciones para guardarla por un corto plazo son las siguientes:

1. Colocar la pasta cortada sobre una superficie antiadherente. Pastas pequeñas o enrolladas pueden caber fácilmente en un plato, mientras que pastas largas, como lingüini o fetuchini, deben ser colgadas en un tendedero o colocadas encima de una tela de cocina enharinada. También se puede enroscar la pasta larga formando nidos: bastará con espolvorearles un poco de harina para evitar que se peguen entre sí, y recoger cada paquete en forma de nido. Se recomienda voltearlos de vez en cuando para que sequen uniformemente y conserven su forma.

2. Dejar secar la pasta durante una hora. La sequedad que se busca es aquella que presenta la pasta refrigerada que venden en los supermercados.

3. Colocar la pasta seca en una bolsa de cierre hermético y escribir en ella la fecha, para saber cuál es su tiempo de caducidad. Guardarla en el refrigerador o en el congelador. En el primer caso, deberá ser consumida antes de los tres días; en el segundo, antes de los tres meses.

Para un almacenamiento a largo plazo, seguir las instrucciones detalladas en el paso 1 anterior y luego continuar con las siguientes indicaciones:

1. Dejar secando la pasta por un mínimo de 24 horas. Asegurarse de que esté completamente seca como para que no se vaya a pegar al momento de guardarla. Tener en cuenta que la humedad del ambiente puede prolongar este proceso.

2. Colocar la pasta seca en una bolsa de cierre hermético, anotar la fecha en la bolsa y guardarla en su despensa, de preferencia en un lugar fresco y seco.

Cómo almacenar la pasta cocida

Lo aconsejable es guardar la pasta por separado de la salsa, para que no continúe absorbiendo sus sabores y se altere su textura. Conservada en un recipiente hermético, la preparación durará tres días.

Cómo congelar la pasta

La mejor pasta para congelar es aquella que se emplea en las recetas al horno: en forma de conchas, lasaña, canelones, etc. Lo ideal es elaborar la receta e inmediatamente congelarla. El día que vaya a ser consumida, descongelar el plato a temperatura ambiente y hornear la preparación.

Pasos sin traspiés

Una excelente receta de pasta puede quedar arruinada por pequeños pero muy comunes errores. ¿Cómo cocinar la pasta perfecta? A continuación, algunas sugerencias y consejos útiles.

- Utilizar un litro de agua por cada 100 gramos de pasta.
- Colocar el agua en la cacerola u olla grande.
- Salar el agua antes de que empiece a hervir, teniendo en cuenta la siguiente equivalencia: 10 g de sal por cada 100 g de pasta.
- Incorporar la pasta al agua cuando comience a hervir. Es importante mantener la temperatura de la cocción y mover la pasta de vez en cuando.
- No se recomienda agregar aceite al agua, pues flotará en la superficie sin lograr efecto alguno.
- La pasta estará en su punto (*al dente*) cuando, al probarla, esté cocida por fuera pero todavía algo dura por dentro.
- Se recomienda no escurrir la pasta por completo, sino dejarla con un poco de agua de la cocción.
- La pasta nunca deberá enjuagarse después de la cocción, salvo que se la vaya a emplear para una ensalada. De lo contrario, perderá su sabor y consistencia.
- Mezclar la pasta de inmediato con la salsa.
- Las salsas cuya base es el aceite, y aquellas que incluyen mariscos o pescados, no se deben combinar con queso parmesano.
- Cuando sí se emplee queso parmesano para acompañar la pasta, deberá estar rallado grueso en el caso de pasta corta, y fino cuando la preparación sea con pasta larga.
- Las salsas a base de aceite se usan fundamentalmente para acompañar la pasta larga, mientras que las elaboradas con crema suelen servirse con pasta corta.

La despensa italiana

Los cocineros italianos apelan cada vez más a innovar en los insumos que utilizan, pero hay ciertos ingredientes que siempre tienen a la mano y que, en la mayoría de los casos, son protagonistas de la maravillosa gastronomía mediterránea. Estos productos hacen que conseguir el sabor «a la italiana» sea muy fácil. El secreto está en su frescura y buena calidad.

• Aceite de oliva

Italia es un país que produce más de sesenta variedades de aceite de oliva, por ello el culto y el refinamiento crítico sobre él equivalen a la pasión que genera el vino en los enólogos. Su sabor varía según el clima y la tierra donde crecen los olivos, pero cabe agregar que un aceite de color oscuro no necesariamente tendrá un sabor más rico, pues este dependerá de la región de la que provenga y de la manera como ha sido elaborado. El mejor aceite de oliva extra virgen es producido en granjas que, por lo general, están conectadas con viñedos.

• Aceitunas

La aceituna es el fruto del olivo. Si bien Italia no es país netamente productor de aceituna de mesa o de verdeo, posee una variedad llamada Ascoli, procedente del pueblo de Ascola.

• Ajo

El ajo se emplea en la cocina como un saborizante natural. Posee un aroma y un sabor característicos que suelen acompañar ciertos platos de la cocina mediterránea en general e italiana en particular.

• Albahaca

Tener una pequeña maceta con esta planta es común en la cocina italiana, comúnmente en la ventana de la cocina. Si bien las hojas de albahaca seca se pueden utilizar, el sabor de la albahaca fresca es imbatible.

• Anchoas

Las anchoas se preparan con un pez teleósteo llamado boquerón, muy parecido a la sardina, pero de menor tamaño. Se conservan de dos maneras: fileteadas, ligeramente saladas y sumergidas en aceite, o sin filetear y con sal. Las primeras son mucho más asequibles, y las segundas son preferidas por los cocineros italianos por su sabor.

• Laurel

Las hojas frescas de laurel pueden ser difíciles de obtener, así que las secas que conservan su color verde son un buen sustituto. Usualmente se utilizan enteras, para darle un mejor gusto a la comida, y se retiran antes de servir el plato.

• Panceta

La panceta es el mismo corte de carne de cerdo que el tocino, pero salado en vez de ahumado. Se cura en salazón, se condimenta con nuez moscada, pimienta, hinojo, guindilla seca molida y ajo, y se deja secar durante tres meses. En Italia cada región produce su propia variedad de panceta.

• Perejil

El perejil es otra hierba que se puede tener perfectamente en una maceta. Es fácil de cultivar y no hay realmente ninguna razón para utilizar el perejil empacado. Pero sí es recomendable adquirir los de hojas grandes en lugar de las variedades de hoja rizada, pues carecen de sabor.

• Prosciutto

Considerado como el jamón crudo, sin ahumar y curado en sal, el prosciutto de Parma es el que combina estupendamente con higos frescos o con melón como antipasto. El de la Toscaza, más salado, funciona mejor como antipasto.

• Mozzarella

El mozzarella original se creó en Aversa, ciudad italiana de la provincia de Caserta, en la región de Campania. Aunque está elaborado en un 100% con leche de búfala, hoy se puede encontrar mozzarella hecho parcial o totalmente con leche de vaca o de oveja. El de buena calidad debe cumplir tres requisitos: derretirse, estirarse y responder bien al gratinado.

• Parmesano

Famoso queso italiano de pasta dura que proviene de la región de Parma, aunque hoy se elabora también en Módena, Regio, Mantua y Bolonia. Hecho a base de leche de vaca desnatada o semidesnatada, pertenece al grupo de los quesos denominados Grana. Se los guarda en salas de afinamiento, donde se les

reviste de tierra oscura o ceniza, o se les mete en vino o en aceite de uvas.

• Queso ricota

Es un queso de pasta fresca elaborado con leche de vaca y que tiene un 35% de materia grasa. Se fabrica son el suero que sale de la elaboración de los quesos Cheddar y Provolone. También existe el ricota seco.

• Romero

El romero es otra hierba que crece fácilmente en interiores, aunque por su tamaño puede requerir más espacio que la jardinera de una ventana. Se aconseja colocarlo en un lugar donde circule mucho aire fresco y reciba mucha luz.

• Salvia

La mayor parte de salvia seca carece del sabor apropiado para la cocina italiana. Lo

mejor es tratar de encontrar salvia fresca. Para los italianos, es la hierba más utilizada después de la albahaca.

• Salame

Embutido en salazón que se elabora con una mezcla de carnes de vacuno y porcino sazonadas y que es posteriormente ahumado y curado al aire. Casi todas las variedades italianas se condimentan con ajo, no así las alemanas. El salame genovés y el milanés son característicos de la cocina regional italiana.

• Setas

Las setas son unos hongos de gran tamaño, y sus tapas usualmente se cocinan a la parrilla y son consumidas como plato principal. Su grandioso sabor suele preservarse e incluso intensificarse al estar secos.

• Tomate

Su color, aroma y sabor se unen a su versatilidad al combinar perfectamente con distintos ingredientes dentro de la cocina, especialmente la mediterránea. Originario de América, las primeras variedades de tomate que llegaron a Europa eran de color amarillo, lo que explica que en italiano se le conozca como pomodoro (poma, manzana de oro).

• Vinagre balsámico

Originario de la región de Emilia-Romaña, especialmente de la ciudad de Módena, es un vinagre obtenido a partir de una mezcla de vinos tintos y blancos. Destaca su sabor fuerte y ligeramente dulce, y su color oscuro. Es adecuado como acompañamiento de carnes asadas y para aliñar ensaladas.

Salsa blanca

INGREDIENTES

50 g de mantequilla • 50 g de harina • 250 ml de leche • 250 ml de caldo de pollo • Una pizca de nuez moscada recién rallada • Sal y pimienta al gusto

PREPARACIÓN

1

En una olla derretir la mantequilla a fuego bajo, dorar la harina revolviendo hasta formar una pasta (un *roux*).

2

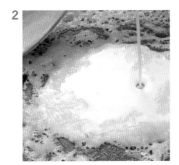

Incorporar poco a poco la leche y el caldo de pollo moviendo constantemente para que no se formen grumos. Sazonar con una pizca de nuez moscada, lo que le da su sabor y aroma característicos. Salpimentar a gusto.

3

La salsa estará lista una vez que, al pasar la cuchara, se vea el fondo de la olla. Retirar del fuego.

Salsa boloñesa

INGREDIENTES

2 hongos secos grandes • ½ cdta. de romero • ½ cdta. de salvia • 1 diente de ajo • Aceite vegetal • ½ tz. de cebolla picada • 150 g de carne molida • 1 cda. de pasta de tomate • 2 tz. de tomate licuado • 1 cdta. de azúcar • ⅓ tz. de vino tinto seco • 1 hoja de laurel • Sal y pimienta al gusto

PREPARACIÓN

Poner a hervir los hongos, el romero, la salvia y el ajo por 5 minutos, con agua suficiente que cubra los ingredientes. Licuar y reservar.

1

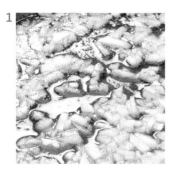

En una olla, calentar a fuego bajo el aceite y sofreír la cebolla.

2

Agregar la carne molida hasta que dore.

3

Añadir la pasta de tomate, el tomate, el azúcar, el vino, el laurel y la preparación reservada.

4

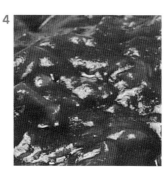

Salpimentar y dejar hervir a fuego lento por 50 minutos. Retirar el laurel.

Salsa pomarola

INGREDIENTES

500 g de tomate • 1 diente de ajo • 2 cdas. de aceite vegetal • 1 cda. de azúcar • 1 cdta. de orégano seco • 1 cdta. de sal

PREPARACIÓN

Retirar el corazón y las semillas de los tomates. Si se prefiere, se puede licuar junto con el ajo y luego colar. En una olla, calentar el aceite a fuego moderado, agregar el puré de tomate, el orégano, la sal y el azúcar, que neutralizará la acidez de los tomates.
Hervir durante unos 20 minutos o hasta que la salsa adquiera consistencia.

Se conocen como pastas largas a aquellas variedades de mayor tamaño, teniendo en cuenta su longitud, mas no su anchura. Espagueti, tagliatele, fetuchini, lingüini, fusilli lunghi, bucatini, pappardelle, tonnarelli... todas integran esta categoría estrella de la cocina italiana.

Pastas largas

Cómo preparar pasta al huevo

INGREDIENTES

500 g de harina sin preparar • 5 huevos • 1 cdta. de sal • 1 cda. de aceite

PREPARACIÓN

1

Sobre una mesa limpia y seca, formar un volcán con la harina. Cascar los huevos en el centro y agregar la sal y el aceite. Con un tenedor, batir suavemente los huevos hasta que las claras y las yemas se mezclen.

2

Incorporar gradualmente la harina. La cantidad puede variar un poco, por lo que se recomienda tener harina disponible en caso deba agregar más a la receta.

3

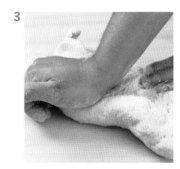

Unir los ingredientes usando la base de la palma de la mano hasta obtener una masa de consistencia húmeda, mas no pegajosa.

4

Formar una bola con ambas manos.

5

Estirar la masa con un rodillo o con una máquina para hacer pastas, las veces necesarias hasta que tenga el espesor deseado.

6

Enrollar la pasta estirada.

7

Para la pasta fetuchini, cortar los fideos de 1 cm de ancho. Para tagliateli, 2 cm. Para lasañas, canelones o pastas rellenas, cortar según el molde o tamaño deseado.

8

Para hacer una masa verde, licuar 3 huevos con las hojas de 300 g de espinacas y amasar con 500 g de harina.

9

Proceder de la misma forma que con la masa al huevo.

Tiempo: 30 minutos / Porciones: 4

Lingüini con mariscos al peperoncino

Ingredientes

500 g de lingüini • 4 cdas. de aceite de oliva • ¾ tz. de cebolla picada • 1 cda. de ajos picados • 1 cda. de peperoncino • 1 medida de aguardiente • 2 tz. de tomate pelado y picado • 500 g de mariscos precocidos • 1 cda. de cilantro picado • Sal, pimienta y comino al gusto

Preparación

Cocinar la pasta *al dente*. Reservar.

Dorar la cebolla y el ajo en aceite a fuego moderado. Agregar el peperoncino y sofreír.

Incorporar el aguardiente y dejar que evapore el alcohol. Añadir el tomate y los mariscos, sazonar con sal, pimienta y comino, saltear por unos 5 minutos.

Mezclar con la pasta, decorar con cilantro picado y servir.

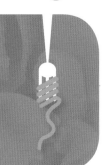

Tiempo: 30 minutos / Porciones: 4

Espagueti a la sorrentina

Ingredientes

500 g de espagueti • 1 cda. de ajos picados • 1 cda. de pasta de tomate • 1 tz. de tomate pelado y picado • ½ tz. de hojas de albahaca • 1 tz. de queso mozzarella picado en cubos de 1 cm • 4 cdas. de aceite de oliva • Sal y pimienta al gusto

Preparación

Cocinar los fideos *al dente* y reservar.
Calentar el aceite a fuego moderado, dorar los ajos, agregar la pasta de tomate, saltear y añadir el tomate picado. Salpimentar. Separar unas hojas de albahaca para decorar y las restantes cortarlas en tiras y agregarlas a la preparación. Colocar el queso mozzarella, apagar el fuego y esperar a que caliente pero que no se derrita.
Mezclar la salsa con la pasta, decorar con la albahaca y servir.

Tiempo: 20 minutos / Porciones: 4

Paglia e fieno con langostinos

Ingredientes

250 g de fetuchini al huevo • 250 g de fetuchini verde de espinacas • $\frac{1}{3}$ tz. de aceite de oliva • $\frac{1}{2}$ tz. de cebolla picada • 500 g de colas de langostinos peladas • $\frac{1}{2}$ tz. de albahaca en tiras • 1 cdta. de ajo picado • 1 tz. de tomate pelado y picado • Sal y pimienta al gusto

Preparación

Cocinar los dos tipos de pasta *al dente*. Reservar.
Calentar a fuego moderado el aceite de oliva y sofreír la cebolla. Cuando empiece a dorar, agregar el ajo y luego el tomate. Incorporar las colas de langostinos, salpimentar y saltear hasta que los langostinos cambien de color. Agregar la albahaca y saltear hasta que esté cocida. Mezclar con la pasta y servir.

Tiempo: 25 minutos / Porciones: 4

Lingüini con prosciutto y portobello al azafrán

Ingredientes

500 g de lingüini • 1 cda. de mantequilla • 200 g de hongos portobello picados • 1 ½ tz. de crema de leche • 1 cdta. de azafrán • 100 g de prosciutto cortado en tiras • 2 cdtas. de ciboulette picado • Sal, pimienta y queso parmesano al gusto

Preparación

Cocinar la pasta *al dente*. Reservar.
Derretir la mantequilla y saltear los hongos en una sartén a fuego medio. Reservar.
Calentar la crema de leche en la misma sartén y cuando empiece a hervir agregar el azafrán, añadir los hongos y salpimentar. Cuando la preparación tome consistencia, mezclar con la pasta y servir con el prosciutto, el ciboulette y el queso parmesano.

Tiempo: 30 minutos / Porciones: 4

Papardelle con sardinas al escabeche

Ingredientes

500 g de papardelle • ¼ tz. de aceite de oliva • 1 cebolla blanca cortada en juliana • ½ bulbo de hinojo cortado en juliana • 2 cdas. de vinagre de vino tinto • 1 lata de sardinas entomatadas • 1 tomate pelado y cortado en gajos delgados • 1 cdta. de ají o chile picante molido • 1 cda. de cilantro picado • Sal y pimienta al gusto

Preparación

Cocinar la pasta *al dente*. Reservar.
Calentar el aceite y saltear la cebolla con el hinojo por 5 minutos en una sartén, a fuego bajo.
Verter el vinagre y seguir salteando por 15 minutos más. Incorporar las sardinas, el tomate y el chile, sazonar con sal y pimienta, dejar cocinar 10 minutos.
Servir la pasta con la salsa encima y el cilantro picado.

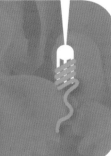

Tiempo: 40 minutos / Porciones: 4

Bucatini con salmón ahumado y alcaparras

Ingredientes

500 g de bucatini • 200 g de salmón ahumado en láminas • 400 ml de crema de leche • 30 ml de vino blanco seco • 1 cda. de eneldo picado • 2 cdas. de alcaparras • Sal y pimienta blanca al gusto

Preparación

Cocinar la pasta *al dente*. Reservar.
Procesar en una licuadora la mitad del salmón con 1 taza de crema de leche.
Cortar en tiras finas la otra parte del salmón, y dejar unas cuantas para decorar.
Poner la mitad de crema y lo licuado en una sartén a fuego moderado, y mover suavemente.
Agregar el vino, el salmón picado y salpimentar a gusto. Incorporar la mitad del eneldo.
Cuando tome punto de salsa, mezclar con la pasta y servir con las alcaparras y el resto del eneldo encima, decorando con las láminas del salmón reservado.

Tiempo: 35 minutos / Porciones: 4

Papardelle en salsa de hongos

Ingredientes

500 g de papardelle • 100 g de setas • 100 g de hongos frescos shitake • 100 g de hongos portobello • ½ litro de crema de leche • 30 ml de vino tinto • 60 g de queso parmesano • Sal al gusto

Preparación

Cocinar la pasta *al dente*. Reservar.
Cortar los tres tipos de hongos en tiras o láminas. Poner la crema de leche en una sartén a fuego medio. Incorporar los hongos y el vino. Cuando empiece a reducir, agregar un poco del queso parmesano y mover hasta que tome punto. Añadir sal al gusto y verificar la sazón. Mezclar con la pasta en un bol y servir con el resto del queso parmesano encima.

Tiempo: 30 minutos / Porciones: 4

Lingüini al pesto rosso

Ingredientes

500 g de lingüini • ½ tz. de tomate seco picado • ¾ tz. de aceite de oliva • 2 dientes de ajo pelados • 6 nueces • ½ tz. de albahaca picada • Sal, pimienta y queso parmesano al gusto

Preparación

Cocinar la pasta *al dente*. Reservar.
Licuar los tomates con el aceite de oliva, los ajos, las nueces y sazonar con sal y pimienta.
Llevar lo licuado a fuego bajo por unos 10 minutos. Servir la pasta con la salsa encima.
Decorar con la albahaca picada, agregar queso parmesano rallado y servir.

Tiempo: 30 minutos / Porciones: 4

Espagueti al ajo y olivo

Ingredientes

500 g de espagueti • ½ tz. de aceite de oliva • 6 dientes de ajo en láminas • 1 ají amarillo abierto y sin semillas • 1 cda. de ajos picados • 1 cdta. de orégano seco • Sal, pimienta y peperoncino al gusto

Preparación

Cocinar la pasta *al dente*. Reservar.
En una sartén, calentar dos cucharadas de aceite de oliva y dorar las láminas de ajo hasta que estén crocantes. Reservar.
En la misma sartén, volcar el resto del aceite, sofreír el ají durante cinco minutos y retirarlo. Dorar los ajos picados a fuego medio y salpimentar.
Mezclar los fideos con esta preparación y colocar sobre cada porción orégano y las láminas de ajo crocante. Ofrecer peperoncino a los comensales.

Tiempo: 20 minutos / Porciones: 4

Fetuchini con calamares en su tinta

Ingredientes

500 g de fetuchini • 1 cda. de mantequilla • 1 cda. de harina • 2 tz. de crema de leche • 2 tz. de calamares en anillos • 1 cda. de tinta de calamar • 1 cda. de eneldo • ½ pimiento rojo soasado cortado en tiras • Sal y pimienta al gusto

Preparación

Cocinar la pasta *al dente*. Reservar.
Derretir la mantequilla en una sartén a fuego moderado, añadir la harina y revolver hasta que cambie de color. Agregar la crema de leche y la tinta de calamar, sazonar con sal y pimienta. Cuando empiece a reducir, poner los calamares en anillos y cocinar por 3 minutos o hasta que estén cocidos.
Mezclar con la pasta y servir con tiras de pimiento y eneldo por encima.

Tiempo: 30 minutos / Porciones: 4

Timbal a la parmesana

Ingredientes

500 g de fetuchini • 300 g de filete de pollo cocido • 250 g de jamón inglés • ¼ litro de crema de leche • 100 g de queso parmesano • ½ tz. de zanahoria cocida y picada • Sal, pimienta y nuez moscada al gusto

Preparación

Cocinar la pasta *al dente*. Reservar.
Deshilachar o picar el pollo y cortar el jamón en cuadritos.
En una sartén, a fuego moderado, reducir la crema de leche y sazonar con una pizca de nuez moscada, sal y pimienta. Incorporar el pollo, el jamón, la zanahoria y la mitad del queso parmesano. Mezclar y dejar que tome punto de salsa. Unir la preparación con la pasta, poner en platos hondos refractarios y cubrir con el resto del parmesano. Llevar al horno precalentado a 200 °C o 390 °F por 5 minutos o hasta que gratine.

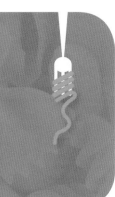

Tiempo: 40 minutos / Porciones: 4

Fideuá con pollo y chorizo

Ingredientes

500 g de pasta cabello de ángel • Aceite vegetal • Aceite de oliva • 400 g de filete de pechuga de pollo • 1 chorizo ahumado cortado en rodajas • 1 tz. de cebolla blanca picada • 1 cda. de ajos picados • 2 tomates pelados y cortados en cuadrados • ½ cdta. de azafrán • 200 g de champiñones en láminas • 2 tz. de caldo de pollo • 4 corazones de alcachofas cocidas y en tiras • 100 g de habichuelas cocidas • 1 pimiento • Sal y pimienta

Preparación

Partir el cabello de ángel en 5 partes y dorar los fideos en aceite vegetal. Reservar.
En una sartén grande, a fuego medio, calentar el aceite de oliva y sellar el pollo previamente salpimentado. Retirar y sellar las rodajas de chorizo. Reservar.
En la misma sartén, dorar la cebolla y agregar los ajos y el azafrán. Incorporar el tomate y sofreír hasta que reduzca. Añadir los champiñones, el pollo, el chorizo, las alcachofas, los pimientos y las habichuelas, sazonar con sal y pimienta y saltear hasta integrar todos los ingredientes. Agregar el caldo de pollo poco a poco, mezclando bien, hasta que los fideos se ablanden y el caldo se seque. Servir bien caliente.

Tiempo: 40 minutos / Porciones: 4

Espagueti con cordero picante

Ingredientes

500 g de espagueti • 4 cdas. de aceite vegetal • 250 g de carne de cordero cortada en cubos de 2 cm • ¾ tz. de cebolla picada • 1 cdta. de ajos picados • 1 tz. de tomates pelados y picados • 1 cdta. de chile picante molido • Sal, pimienta y perejil picado al gusto

Preparación

Cocinar la pasta *al dente*. Reservar.
En una sartén, calentar el aceite a fuego moderado y sellar la carne. Reservar.
En la misma sartén, sofreír la cebolla y los ajos. Incorporar el cordero, el tomate, el chile picante y sazonar con sal y pimienta. Servir la pasta con la salsa encima y el perejil picado.

Tiempo: 35 minutos / Porciones: 4

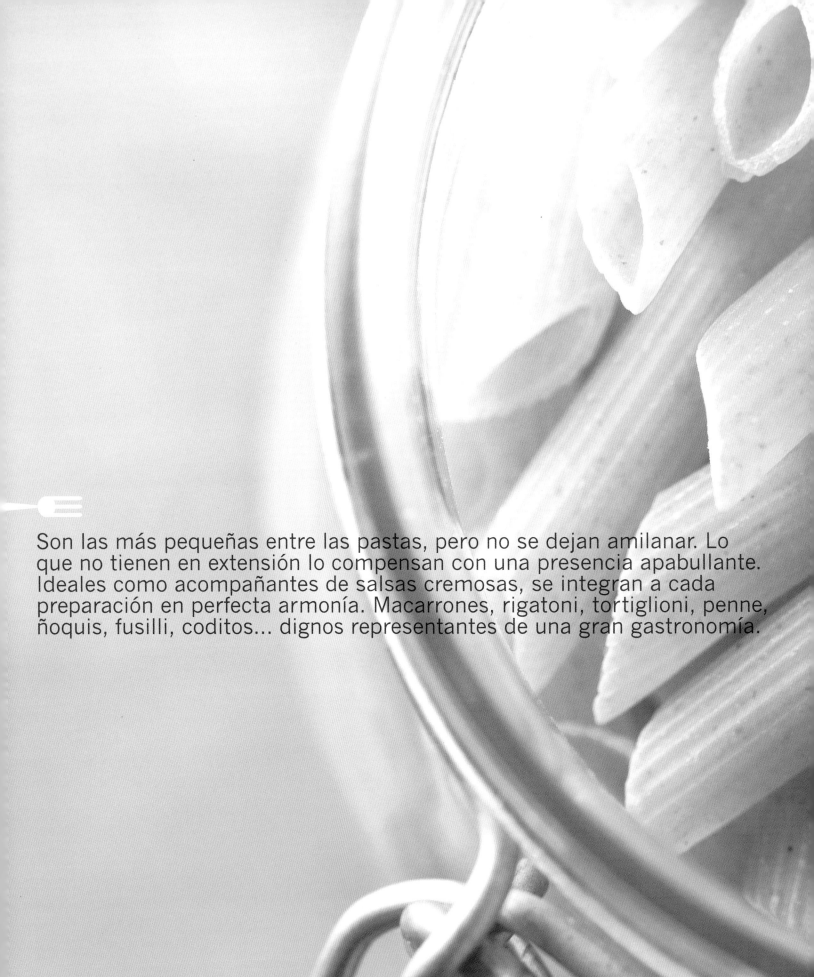

Son las más pequeñas entre las pastas, pero no se dejan amilanar. Lo que no tienen en extensión lo compensan con una presencia apabullante. Ideales como acompañantes de salsas cremosas, se integran a cada preparación en perfecta armonía. Macarrones, rigatoni, tortiglioni, penne, ñoquis, fusilli, coditos... dignos representantes de una gran gastronomía.

Pastas cortas

Cómo preparar ñoquis de papa

INGREDIENTES

750 g de papa cocida y prensada • 750 g de harina sin preparar • 1 yema de huevo • 2 cdas. de mantequilla derretida • 1 cdta. de sal • ¼ cdta. de pimienta

PREPARACIÓN

Cocinar 1 kilo de papas con la cáscara, para evitar que absorban mucha agua. Al pelarlas se obtendrán aproximadamente los 750 g requeridos para esta receta. Prensarlas calientes.

1

Sobre una mesa seca, formar un volcán con la papa prensada y añadir la harina, la mantequilla, la yema de huevo, la sal y la pimienta. Mezclar hasta que la masa esté homogénea y suave.

Tiempo: 90 minutos / Porciones: 4

2

Formar tubos de 2 cm de grosor.

3

Cortar en trozos parejos.

4

Hacer con cada trozo tubitos de 2 cm de diámetro y 3 cm de largo.

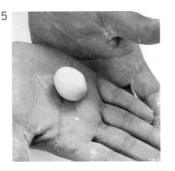

5

Colocar uno por uno en la palma de la mano bien seca y con la otra mano darle forma ligeramente oval.

6

Pasar uno por uno suavemente por un tenedor, para formar líneas. También se pueden hacer en forma de bolitas ligeramente aplanadas y con un hoyo superficial al centro.

Ñoquis negros

Para hacer los ñoquis negros, realizar el mismo procedimiento inicial. Cuando se está amasando, agregar 1 cucharada de tinta de calamar. Proceder de la misma forma que en la receta de los ñoquis de papa.

Cómo preparar malfatis de espinaca

INGREDIENTES

1 kg de espinaca • 300 g de queso ricota • 100 g de queso parmesano • 1 cdta. de sal • 3 cdas. de harina

PREPARACIÓN

1

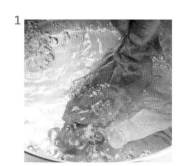

Lavar las hojas de espinaca y colocarlas en agua hirviendo por un minuto.

2

Pasar las hojas por agua fría.

3

Escurrirlas bien y picarlas finamente.

Tiempo: 90 minutos / Porciones: 4

4

Mezclar la espinaca picada con el queso ricota, el parmesano y la sal.

5

Añadir poco a poco la harina hasta que adquiera consistencia y unir todo en una masa.

6

Formar tubos de 2 cm de diámetro y cortar cada 5 cm. Los malfatis pueden ser preparados de la misma forma que los ñoquis.

Ñoquis con pesto a la crema

Ingredientes

500 g de ñoquis de papa • 2 tz. de hojas de albahaca • 80 g de piñones • 2 cdas. de aceite de oliva • 2 dientes de ajo • 1 tz. de crema de leche • 100 g de queso parmesano rallado • Sal y pimienta al gusto

Preparación

Hervir abundante agua, agregar un poco de sal y cocinar los ñoquis hasta que floten. Retirar y reservar.
Licuar la albahaca con los piñones, el aceite de oliva y el ajo.
En una sartén o cacerola, calentar la crema de leche a fuego moderado hasta que comience a reducir. Incorporar lo licuado, añadir la mitad del queso parmesano y salpimentar al gusto. Mantener en el fuego revolviendo constantemente hasta que adquiera consistencia.
Verter esta salsa sobre los ñoquis y servir con el resto del parmesano.

Tiempo: 35 minutos / Porciones: 4

Malfatis a las dos salsas

Ingredientes

4 porciones de malfatis • ¾ tz. de crema de leche • 50 g de queso crema • 50 g de queso cheddar picado • 1 tz. de salsa pomarola • 50 g de queso parmesano en rebanadas • Sal y nuez moscada al gusto

Preparación

Poner los malfatis en una olla con abundante agua hirviendo con sal. Retirar cuando empiecen a flotar. Calentar la crema de leche en una sartén a fuego moderado. Añadir los quesos y revolver en forma constante para que se integren. Sazonar con una pizca de nuez moscada y sal al gusto. Calentar la salsa pomarola. Servir los malfatis sobre una de las salsas y poner la otra encima. Colocar las rebanadas de queso parmesano y servir.

Tiempo: 60 minutos / Porciones: 4

Canutos a la arrabiatta

Ingredientes

500 g de pasta corta en forma de canutos • ½ tz. de aceite de oliva • 100 g de tocino • 1 cda. de ajos picados • 1 cda. de pasta de tomate • 2 tz. de tomate pelado y picado • 1 cdta. de peperoncino • 20 hojas de albahaca en tiras • 2 dientes de ajo • 1 tz. de crema de leche • 100 g de queso parmesano rallado • Sal y pimienta al gusto

Preparación

Cocinar la pasta *al dente*. Reservar.
Calentar el aceite y sofreír el tocino cortado en tiras en una sartén a fuego moderado. Cuando esté casi dorado, reservar. En la misma sartén, incorporar los ajos, la pasta de tomate, el tomate picado y el peperoncino. Salpimentar y mezclar con los fideos. Agregar el tocino y la albahaca. Servir con queso parmesano.

Tiempo: 30 minutos / Porciones: 4

Ñoquis con alcachofas, jamón y champiñones

Ingredientes

4 porciones de ñoquis • 6 corazones de alcachofa cocidos • $\frac{1}{3}$ tz. de leche • 1½ tz. de crema de leche • 1 cdta. de tomillo seco • 100 g de champiñones en láminas • 80 g de jamón picado • 100 g de queso parmesano rallado • Sal y pimienta al gusto

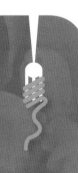

Preparación

Hervir abundante agua, agregar un poco de sal y cocinar los ñoquis hasta que floten. Retirar y reservar.

Licuar 4 corazones de alcachofa con la leche, y picar los otros 2 en cuadrados. Calentar la crema de leche a fuego moderado y agregar las alcachofas licuadas. Cuando la salsa comience a tomar consistencia, añadir el tomillo y salpimentar. Incorporar los champiñones, el jamón y la mitad del parmesano. Servir los ñoquis con la salsa y el resto del queso parmesano.

Tiempo: 36 minutos / Porciones: 4

Canutos con langostinos al ajillo

Ingredientes

500 g de canutos • ⅓ tz. de aceite de oliva • 4 dientes de ajo cortados en láminas • 1 cda. de ajo molido • 1 cda. de páprika molida • 400 g de langostinos • 1 cdta. de perejil picado • Sal y pimienta al gusto

Preparación

Cocinar la pasta *al dente*. Reservar.

En una sartén calentar el aceite de oliva con las láminas de ajo hasta que estén doradas. Reservar.

Sofreír el ajo molido, la páprika y los langostinos en la misma sartén. Sazonar con sal y pimienta, saltear por 3 minutos hasta que los langostinos cambien de color. Agregar el perejil y los ajos laminados, mezclar con la pasta y servir.

Tiempo: 30 minutos / Porciones: 4

Rigatoni con salsa de espinaca y tocino

Ingredientes

500 g de rigatoni • 100 g de tocino ahumado cortado en tiras delgadas • 500 g de espinacas • 1 tz. de crema de leche • 100 g de queso crema • 100 g de queso parmesano en lascas • Sal, pimienta y nuez moscada al gusto

Preparación

Cocinar la pasta *al dente*. Reservar.

Freír el tocino hasta que esté dorado. Reservar.

Lavar y licuar las hojas de espinaca con muy poca agua.

En una sartén, calentar la crema de leche a fuego medio. Mezclar con el queso crema e incorporar las espinacas licuadas. Sazonar con una pizca de nuez moscada, sal y pimienta, y mantener en el fuego, revolviendo constantemente, hasta que tome punto de salsa.

Mezclar esta preparación con la pasta, añadir el tocino y ofrecer a los comensales las lascas de queso parmesano.

Tiempo: 30 minutos / Porciones: 4

Ñoquis al gruyer con tocino

Ingredientes

4 porciones de ñoquis • 80 g de tocino • 1½ tz. de crema de leche • 100 g de queso gruyer rallado • 6 hojas de espinaca en juliana • Sal y pimienta al gusto

Preparación

Hervir abundante agua, agregar un poco de sal y cocinar los ñoquis hasta que floten. Retirar y reservar.

Cortar el tocino en trozos pequeños y freírlo. En una sartén, a fuego moderado, poner la crema de leche. Cuando rompa el hervor, agregar el queso gruyer rallado. Mover suavemente, añadir las espinacas, salpimentar y continuar revolviendo hasta que la salsa tome consistencia.

Servir los ñoquis con la salsa y decorar con el tocino frito.

Tiempo: 35 minutos / Porciones: 4

Canutos a la puttanesca

Ingredientes

500 g de canutos • ½ tz. de aceite de oliva • 1 cda. de ajos picados • 1 cdta. de peperoncino • 1 tz. de tomate pelado y picado • 1 cdta. de tomillo • ½ tz. de hojas picadas de albahaca • 8 aceitunas de botija picadas • 1 cda. de alcaparras • 8 filetillos de anchoas • Sal y pimienta al gusto

Preparación

Cocinar la pasta *al dente*. Reservar.
En una sartén, a fuego medio, calentar el aceite y sofreír los ajos y el peperoncino. Agregar el tomate y el tomillo y, cuando la mezcla reduzca a la mitad, incorporar la albahaca. Salpimentar y finalizar incorporando las aceitunas y alcaparras a la preparación.
Mezclar con la pasta y servir con filetes de anchoas sobre el plato.

Tiempo: 30 minutos / Porciones: 4

Corbatitas con crema de zanahoria y salchicha

Ingredientes

500 g de corbatitas • 4 salchichas • 2 tz. de zanahoria • 1 tz. de leche evaporada • 100 g de queso parmesano rallado • 1 cdta. de páprika • 1 cda. de finas hierbas • Sal al gusto

Preparación

Cocinar la pasta *al dente*. Reservar.
Cortar las salchichas en rodajas y freírlas hasta que estén un poco doradas. Reservar.
Licuar la zanahoria con la leche y llevar a fuego medio con la mitad del parmesano, la páprika y las hierbas. Agregar las salchichas, sazonar con sal y dejar que tome punto.
Mezclar la salsa con la pasta y agregar queso parmesano encima. Servir.

Tiempo: 30 minutos / Porciones: 4

Caracoles con pavo al azafrán

Ingredientes

500 g de pasta en forma de caracoles • ⅓ tz. de aceite de oliva • 300 g de filete de pavo en trozos • ½ tz. de cebolla blanca picada • 1 cda. de ajo molido • 4 hebras de azafrán • ¾ tz. de vainitas (judías) cocidas y picadas • Sal y pimienta al gusto

Preparación

Cocinar la pasta *al dente*. Reservar.
Calentar un poco del aceite y sellar el filete de pavo con sal y pimienta. Reservar.
En la misma sartén u olla, agregar el resto de aceite y sofreír la cebolla hasta que esté semidorada. Añadir el ajo, el azafrán y el pavo. Cocinar por 15 minutos e incorporar las vainitas. Rectificar la sazón, mezclar con la pasta y servir.

Tiempo: 45 minutos / Porciones: 4

Macarrones al pesto de nueces y ricota

Ingredientes

500 g de macarrones • ½ tz. de aceite de oliva • 200 g de nueces peladas y picadas • 2 dientes de ajo • 100 g de queso ricota • Sal al gusto

Preparación

Cocinar la pasta *al dente*, de preferencia cuando ya tenga la salsa lista.

Licuar o procesar el aceite de oliva con las nueces y el ajo, y agregar sal al gusto.

Mezclar la preparación anterior con el queso ricota, rectificar la sazón y agregar a la pasta caliente.

Tiempo: 30 minutos / Porciones: 4

Corbatitas al limón con almejas

Ingredientes

500 g de pasta en forma de corbatitas • 50 g de mantequilla • 2 cdas. de zumo de limón • 1 cdta. de ralladura de limón • 1 tz. de crema de leche • 200 g de almejas • Sal, pimienta y perejil picado al gusto

Preparación

Cocinar la pasta *al dente*. Reservar.

Derretir la mantequilla en una sartén a fuego bajo. Añadir el zumo y la ralladura de limón, y poco a poco agregar la crema de leche, revolviendo en forma constante. Sazonar con sal y pimienta. Cuando la preparación empiece a hervir, incorporar las almejas y cocinar hasta que se abran y la salsa tenga consistencia cremosa.

Mezclar con la pasta, poner encima perejil picado y servir.

Tiempo: 30 minutos / Porciones: 4

Conchitas a la boloñesa de chorizo

Ingredientes

500 g de pasta en forma de conchitas • 1 cda. de aceite de oliva • 250 g de chorizo • 1 tz. de tomate pelado y picado • 1 cda. de ají amarillo molido • 1 ramita de romero • 100 g de queso parmesano rallado • Sal y pimienta al gusto

Preparación

Cocinar la pasta *al dente*. Reservar.
Calentar un poco de aceite y dorar el chorizo sin piel. Reservar. En la misma sartén, poner el resto del aceite y sofreír el tomate con el ají y la rama de romero. Sazonar con sal y pimienta e incorporar el chorizo reservado, cuidando que la salsa quede jugosa. Retirar la rama de romero y echar la salsa encima de la pasta. Se puede usar el romero como decoración. Ofrecer queso parmesano a los comensales.

Tiempo: 50 minutos / Porciones: 4

Sus formas, colores, texturas y tamaños son distintos, pero hay algo que tienen en común: todas guardan un secreto en su interior. Ravioles, canelones, tortelinis, lasañas, añolotis, pansotis y capeletis son algunas de las pastas rellenas más conocidas, aunque siempre hay buenas razones para recurrir a ellas y descubrir qué se traen entre manos en cada ocasión.

Pastas rellenas

Cómo preparar ravioles de carne

INGREDIENTES

500 g de harina sin polvo de hornear • 5 huevos
Relleno: 2 cdas. de aceite vegetal • $^1/_3$ tz. de cebolla picada
finamente • 1 ajo molido • 300 g de carne de res molida • 1 cdta.
de orégano seco • ½ cdta. de salsa inglesa • 4 cdas. de pan molido
• 3 huevos • Sal y pimienta al gusto

PREPARACIÓN

Sobre una mesa limpia y seca, formar un volcán con la harina, cascar los huevos en el centro y
agregar la sal y el aceite.
Con un tenedor, batir suavemente los huevos hasta que las claras y las yemas se mezclen.
Incorporar gradualmente la harina y amasar usando la base de la palma de la mano hasta obtener
una masa de consistencia húmeda, pero no pegajosa. La cantidad necesaria de harina puede
variar un poco, por lo que siempre se debe tener disponible un poco más en caso de que deba
agregarse a la receta.
Estirar la masa con un rodillo y adelgazarla hasta alcanzar el grosor ideal, en láminas flexibles y
anchas.

PREPARACIÓN

1

En una sartén, a fuego medio, sofreír la cebolla hasta dorarla. Agregar el ajo.

2

Incorporar la carne, el orégano y la salsa inglesa. Salpimentar y mantener en el fuego hasta cocinar completamente. Colocar esta preparación en un colador, para retirar el exceso de líquido.

3

Agregar un huevo y mezclar bien.

4

Poco a poco, añadir el pan rallado o molido hasta que la preparación adquiera una consistencia pastosa.

5

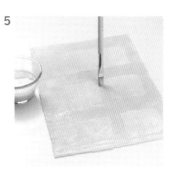

Batir los huevos restantes y con un pincel pasarlos por los bordes de las láminas de pasta, formando cuadrados de 4 x 4 cm.

6

Colocar una cucharadita de relleno en cada raviol.

7

Cubrir esta lámina con otra, presionando suavemente para pegar una con otra.

8

Cortar los cuadrados con una ruleta o cortador especial, o con un cuchillo.

9

Sellar los bordes con un tenedor.

Cocinar los ravioles en abundante agua hirviendo con sal. Probar la cocción cortando un borde y mordiéndolo, para sentir que esté *al dente*.

Cómo preparar canelones

INGREDIENTES

500 g de harina sin polvo de hornear • 5 huevos • 1 cdta. de sal • 1 cda. de aceite

PREPARACIÓN

Sobre una mesa limpia y seca, formar un volcán con la harina. Cascar los huevos en el centro y agregar la sal y el aceite. Con un tenedor, batir suavemente los huevos hasta que las claras y las yemas se mezclen. Incorporar gradualmente la harina y amasar usando la base de la palma de la mano hasta obtener una masa de consistencia húmeda pero no pegajosa. La cantidad necesaria de harina puede variar un poco, por lo que siempre se debe tener más disponible, en caso de que se deba añadir a la receta. Estirar la masa con un rodillo y adelgazarla hasta alcanzar el grosor ideal. Cortar en láminas flexibles y anchas de 10 x 10 cm.

PREPARACIÓN

1

Pasar las láminas de pasta por agua hirviendo durante dos minutos, solo para que se ablanden. Enfriar y poner sobre un secador limpio para quitarles la humedad.

2

Cortar y cocinar los ingredientes que se utilizarán para rellenar los canelones.

3

Mezclar bien los ingredientes del relleno. Añadir ricota, crema o algún tipo de queso de su elección. Salpimentar.

4

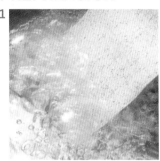

Colocar el relleno para formar un rollito de 2 o 3 cm de diámetro.

5

Con un pincel, aplicar huevo batido en uno de los bordes.

6

Enrollar completamente hasta cerrar el canelón, para que se pegue el borde.

Tortelinis de zanahoria al pesto de oliva

Ingredientes

350 g de tortelinis de zanahoria • ½ tz. de aceite de oliva • 100 g de aceitunas verdes picadas • 3 dientes de ajo • 4 nueces picadas • 1 cda. de perejil picado • Sal y pimienta al gusto

Preparación

Cocinar la pasta *al dente*. Reservar.
En un mortero, procesador de alimentos o licuadora, mezclar el aceite de oliva con las aceitunas, los ajos y las nueces. Salpimentar al gusto.
Servir la pasta con el pesto y decorar con perejil.

Tiempo: 30 minutos / Porciones: 4

Canelones con cerdo marinado

Ingredientes

16 tubos o láminas de pasta para canelones • 500 g de pulpa de cerdo bien picado • ¼ tz. de vinagre blanco • 1 cda. de aceite vegetal • ½ tz. de cebolla blanca picada • 1 cdta. de ajos picados • 3 cdas. de páprika picante • 1 cdta. de achiote o de ají panca molido • 300 g de queso ricota • 1 huevo ligeramente batido • 1 tz. de salsa blanca • 80 g de queso mozzarella rallado • Sal, pimienta y comino al gusto

Preparación

Pasar la pasta por agua hirviendo. Reservar.

Luego de cortar el cerdo en cubos y dejarlo marinar durante 3 horas con el vinagre, la cebolla blanca, los ajos, la páprika y el achiote o ají panca, calentar el aceite en una sartén a fuego medio y colocar todos estos ingredientes. Mantener la sartén tapada hasta que la carne esté cocida. Retirar del fuego, colar para extraer el exceso de líquido y mezclar con el queso ricota.

Colocar este relleno en las láminas con el huevo batido en los bordes y formar los tubos.

Mezclar la salsa blanca con el jugo del cerdo marinado.

En un plato o molde refractario, poner una capa ligera de la salsa blanca y luego los canelones. Bañar con salsa blanca y poner el queso mozzarella encima. Llevar a horno precalentado a 180 °C o 350 °F por 30 minutos o hasta gratinar.

Tiempo: 60 minutos / Porciones: 4

Ravioles a la checa

Ingredientes

60 ravioles (15 por persona) • 2 tz. de tomates pelados y picados • 100 g de queso mozzarella picado • 1 cda. de hojas de albahaca picadas • 1 cdta. de mejorana fresca picada • 1 cdta. de tomillo fresco picado • 1 cdta. de orégano fresco picado • ½ tz. de aceite de oliva • Sal y pimienta al gusto

Preparación

En un tazón mezclar los tomates con la mozzarella, la albahaca, la mejorana, el tomillo y el orégano. Salpimentar. Cocinar la pasta *al dente*, escurrir y mezclarla con la preparación anterior. Calentar el aceite y saltear la pasta con la salsa a fuego alto por 3 minutos, solo hasta que caliente. Servir inmediatamente, decorando con hojas frescas.

Tiempo: 35 minutos / Porciones: 4

Lasaña con tomates secos al pesto

Ingredientes

8 láminas de pasta para lasaña • 150 g de queso crema • 80 g de queso parmesano • 16 rodajas de tomates secos • 50 g de queso mozzarella • 1 cda. de mantequilla
Pesto: 3 cdas. de aceite de oliva • ¾ tz. de hojas de albahaca • 2 cdas. de piñones ligeramente tostados • 2 dientes de ajo • Sal y pimienta al gusto

Preparación

Pasar las láminas de pasta por agua hirviendo. Reservar.
Moler e integrar los ingredientes del pesto en un mortero o licuadora.
Mezclar el queso crema con la mitad del parmesano.
Enmantequillar un molde refractario y poner 4 láminas de pasta. Untar el queso crema, el pesto y los tomates, cubrir con la pasta, el queso mozzarella y el resto del parmesano.
Llevar a horno precalentado a 180 °C o 350 °F por 15 minutos o hasta que gratine.

Tiempo: 45 minutos / Porciones: 4

Añolotis con crema de pimientos y anchoas

Ingredientes

4 porciones de añolotis • 2 pimientos soasados, pelados y picados • $1/3$ tz. de leche • $1\frac{1}{2}$ tz. de crema de leche • 80 g de almendras picadas • 1 cdta. de tomillo seco picado • 8 filetes de anchoas • Sal, pimienta y perejil picado al gusto

Preparación

Hervir la pasta *al dente*. Reservar.

Licuar los pimientos con la leche. Hervir esta mezcla con la crema de leche y el tomillo hasta reducir. Cuando la salsa tome consistencia, agregar las almendras y salpimentar al gusto. Servir la pasta con la salsa, las anchoas y el perejil encima.

Tiempo: 30 minutos / Porciones: 4

Canelones primavera en salsa oriental

Ingredientes

16 láminas de masa wantán • 1 cdta. de maicena • 2 cdas. de aceite vegetal • 300 g de carne de pollo molida • 200 g de frijolito chino • ½ tz. de zanahoria rallada • 2 cdas. de salsa de soja • 1 cda. de maicena • 1 cda. de ajonjolí tostado • 100 g de queso mozzarella rallado • 1 huevo • Sal al gusto

Salsa oriental: 1½ tz. de caldo de pollo • 1 trozo de jengibre • 3 cdas. de salsa de ostión • 2 cdas. de salsa de soja • 1 cda. de maicena • Sal al gusto

Preparación

Pasar las láminas de masa wantán por agua hirviendo durante un minuto y ponerlas en agua fría. Retirar y con una servilleta limpia quitar el exceso de líquido.

Diluir la maicena en un poco de agua.

Calentar el aceite vegetal y sofreír el pollo molido. Agregar el frijolito chino en trozos y la zanahoria rallada. Saltear por 3 minutos, sazonar con la salsa de soja, el aceite de ajonjolí y rectificar la sal, si fuera necesario. Agregar poco a poco maicena diluida, para que la mezcla se integre y espese. Mezclar con el queso mozzarella rallado.

Colocar el relleno en las láminas de masa y enrollar formando tubos de 2 a 3 cm de diámetro. Sellar los bordes con huevo batido.

Para preparar la salsa oriental, calentar el caldo de pollo con el trozo de jengibre. Dejar hervir por 3 minutos, retirarlo y agregar la salsa de ostión y la salsa de soja. Verter la maicena diluida en un poco de agua, revolviendo continuamente hasta que la salsa tome punto. Sazonar con sal de ser necesario.

Calentar los canelones primavera en el horno por unos minutos. Verter la salsa caliente encima y el ajonjolí tostado.

Tiempo: 40 minutos / Porciones: 4

Pansotis de ricota con espinacas a la mantequilla y salvia

Ingredientes

60 láminas cuadradas de pasta de 7 x 7 cm (15 pansotis por persona) • 200 g de queso ricota desmenuzado • 1 tz. de hojas de espinaca blanqueadas y picadas finamente • 1 clara de huevo • Sal y nuez moscada al gusto

Salsa de mantequilla y salvia: 100 g de mantequilla • 1 cdta. de aceite vegetal • 1 cda. de ajos molidos • 1 cda. de salvia seca picada • 60 g de queso parmesano rallado • Sal y pimienta al gusto

Preparación

Mezclar la ricota con las espinacas y sazonar con una pizca de nuez moscada y sal. Batir ligeramente la clara y pasar con dedo o pincel por los bordes de las láminas. Poner una cucharada de relleno al centro y juntar las puntas formando un triángulo. Presionar los bordes con los dedos o con un tenedor, para sellar. Cocinar la pasta *al dente* y reservar. En una sartén o cacerola a fuego medio, derretir la mantequilla con el aceite, para que no se queme. Sofreír los ajos, añadir la salvia y salpimentar. Mezclar con la pasta y servir con parmesano.

Tiempo: 60 minutos / Porciones: 4

Capeletis con champiñones al vodka

Ingredientes

80 unidades de capeletis (20 por persona) • 2 tz. de crema de leche • 200 g de champiñones en láminas • 1 oz de vodka • 1 cda. de salvia seca picada • 1 cdta. de ralladura de limón • 100 g de queso parmesano • Sal y pimienta al gusto

Preparación

Cocinar la pasta *al dente*. Reservar.

Reducir la crema de leche en una sartén a fuego moderado. Cuando comience a hervir, añadir el vodka. Esperar 5 minutos y agregar los champiñones, la salvia y la ralladura de limón. Mover suavemente por 10 minutos y añadir la mitad del parmesano. Sazonar con sal y pimienta.

Mezclar esta salsa con la pasta y servir con el resto del queso parmesano encima.

Tiempo: 35 minutos / Porciones: 4

Lasaña a la boloñesa

Ingredientes

16 láminas de pasta para lasaña • 2 tz. de salsa blanca • 200 g de queso mozzarella rallado • 100 g de queso parmesano rallado • 12 cdas. de salsa boloñesa

Preparación

Pasar las láminas de lasaña por agua hirviendo durante un minuto.
En un molde refractario, colocar una capa delgada de salsa blanca, acomodando 4 láminas de pasta, luego una porción de la salsa boloñesa, ¼ de los quesos mozzarella y parmesano, otra capa de salsa blanca y tapar con otras 4 láminas de pasta. Repetir dos veces más.
Finalizar cubriendo la última lámina de pasta con salsa blanca, mozzarella y parmesano.
Llevar a horno precalentado a 200 °C o 390 °F por 45 minutos o hasta que gratine.

Tiempo: 90 minutos / Porciones: 4

Ravioles a la rústica

Ingredientes

60 ravioles (15 por persona) • 6 cdas. de aceite de oliva • 1 cebolla blanca picada • 2 dientes de ajo picados • 1 cdta. de peperoncino o chile (opcional) • 1 cda. de hojas de perejil • 100 g de tocino picado • ½ pimiento amarillo picado • 1 tz. de tomates pelados y picados • 8 aceitunas verdes picadas • 1 cda. de alcaparras • 1 cdta. de orégano picado • 60 g de queso parmesano rallado • Sal al gusto

Preparación

Cocer la pasta *al dente*. Reservar.
Calentar el aceite en una sartén a fuego lento y cocinar la cebolla hasta que dore. Subir el fuego e incorporar los ajos, el peperoncino y el perejil. Saltear por un minuto, agregar el tocino y cocinar hasta que esté dorado (no tostado). Añadir los pimientos y los tomates, sazonar con sal y cocinar durante 5 minutos más. Antes de apagar el fuego, incorporar las aceitunas, las alcaparras y el orégano.
Servir con la pasta y queso parmesano al gusto.

Tiempo: 30 minutos / Porciones: 4

Lasaña de langostinos, poro y pimientos

Ingredientes

12 láminas de pasta verde para lasaña • 1½ tz. de salsa blanca • 2 cdtas. de páprika • 24 colas de langostinos medianas • 1 cda. de aceite vegetal • 1½ tz. de poro o puerro cortado en aros delgados • 1 cda. de mantequilla con sal • 150 g de queso mozzarella rallado • 100 g de queso parmesano rallado • 1 pimiento amarillo morroneado cortado en tiras • Sal y pimienta al gusto

Preparación

Pasar las láminas de pasta por agua hirviendo. Reservar.
Mezclar la salsa blanca con la páprika. Saltear los langostinos salpimentados con el aceite, hasta que cambien de color, retirar y mezclar con la mitad de la salsa blanca con páprika. Saltear el poro o puerro en mantequilla con sal y pimienta al gusto, hasta que esté ligeramente dorado. Untar un molde refractario con una capa delgada de salsa blanca, poner 4 láminas de base, disponer los langostinos, echar mozzarella y parmesano. Cubrir con una capa de láminas de pasta y untar con salsa blanca. Poner el poro, el pimiento y más mozzarella. Cubrir con pasta.
Sobre esta última capa untar salsa blanca, mozzarella y parmesano.
Llevar a horno precalentado a 180 °C o 350 °F por 30 minutos o hasta que gratine.

Tiempo: 30 minutos / Porciones: 4

Gran aporte de la cocina napolitana al mundo. Su popularidad es proporciona a la infinidad de recetas a las que da lugar. Queso mozzarella de búfala, salsa de tomate natural, aceite de oliva y finas hierbas reposan sobre esta masa en cuya simpleza radica su encanto. Determinar qué ingredientes emplear cada vez es una exquisita invitación a la creatividad.

Pizzas

Cómo preparar masa de pizza

INGREDIENTES

1 kg de harina sin preparar • 1½ litros de agua • 40 g de levadura • 2 cdas. al ras de azúcar • 80 g de margarina • 200 g de queso mozzarella rallado • 2 oz de aceite de oliva • 1 cda. al ras de sal

PREPARACIÓN

1

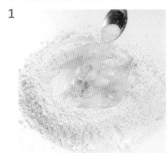

Sobre la mesa limpia, colocar la harina y formar un hoyo en la parte superior, en forma de volcán.

2

En agua ligeramente tibia, disolver la levadura, el azúcar y una cucharada de harina. Poner esta preparación en el centro de la harina, incorporando poco a poco los ingredientes con las manos.

3

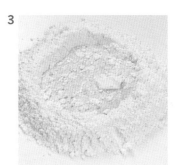

Agregar la sal y la margarina.

PREPARACIÓN

4

Añadir el aceite de oliva.

5

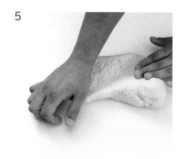

Amasar bastante, hasta que la masa se sienta suave, pareja y un poco húmeda.

6

Dividir en 4 porciones iguales y dejar reposar por 15 minutos.

7

Aplanar la masa en un molde para pizza ligeramente engrasado, de unos 30 cm.

8

Estirar la masa hasta los bordes.

9

Pinchar con un tenedor varias veces, para evitar que eleve en exceso.

Llevar los discos al horno precalentado a 200 °C o 390 °F por 10 minutos o hasta que sus bordes estén ligeramente dorados. Retirar, cubrir con los ingredientes de su preferencia y gratinar.

Pizza cuatro quesos

Ingredientes

1 masa de pizza familiar (30 cm) • 4 cdas. de salsa pomarola • 200 g de queso mozzarella rallado • 50 g de queso azul desmenuzado • 80 g de queso cheddar rallado • 30 g de queso parmesano rallado • 16 rodajas delgadas de tomate sin piel • Sal, albahaca y orégano seco al gusto

Preparación

Mezclar los quesos cheddar, azul y parmesano. Untar la masa con la salsa pomarola, colocar rodajas de tomate y luego el queso mozzarella. Esparcir encima la mezcla de quesos y restregar el orégano seco. Llevar al horno precalentado a 200 °C o 390 °F por 15 minutos o hasta que gratine. Decorar con hojas de albahaca antes de servir.

Tiempo: 30 minutos / Porciones: 4

Pizza mar y tierra

Ingredientes

1 masa de pizza familiar (30 cm) • 4 cdas. de salsa pomarola
• 250 g de queso mozzarella rallado • 250 g de colas de langostinos
• 100 g de prosciutto • 1 cdta. de ajo picado • 1 cda. de aceite de oliva
• 50 g de queso parmesano • Sal, pimienta y orégano seco al gusto

Preparación

Untar la masa con la salsa pomarola, y cubrirla con el queso mozzarella. Calentar el aceite de oliva en una sartén, dorar ligeramente el ajo, agregar los langostinos y salpimentar al gusto. Retirar los langostinos cuando ya hayan cambiado de color, y colocarlos sobre la pizza. Llevar al horno precalentado a 200 °C o 390 °F por 15 minutos o hasta que se derrita el queso. Retirar la pizza del horno. Colocar las lonjas finas de prosciutto y el queso parmesano, esparcir orégano seco encima y servir.

Tiempo: 30 minutos / Porciones: 4

Pizza con vegetales grillados

Ingredientes

1 masa de pizza familiar (30 cm) • 3 cdas. de salsa pomarola • 200 g de queso mozzarella rallado • 2 cdas. de aceite de oliva • 8 rodajas de zucchini • 8 rodajas de berenjena • 8 champiñones en láminas • ½ pimiento soasado y en juliana • 1 cebolla blanca en aros • Sal, pimienta y orégano seco al gusto

Preparación

Untar la masa con la salsa pomarola y cubrirla con las rodajas de mozzarella.
En una plancha o sartén, calentar el aceite de oliva y saltear los vegetales con sal y pimienta hasta que estén ligeramente dorados. Distribuir los vegetales sobre el queso mozzarella y esparcir uniformemente orégano seco sobre toda la pizza. Llevar al horno precalentado a 200 °C o 390 °F por 15 minutos o hasta que gratine.

Tiempo: 30 minutos / Porciones: 4

Pizza de setas con tocino

Ingredientes

1 masa de pizza familiar (30 cm) • 4 cdas. de salsa pomarola • 200 g de queso mozzarella rallado • 200 g de setas • 100 g de tocino en tiras • 2 cdas. de alcaparras • Sal, orégano seco y aceite de oliva al gusto

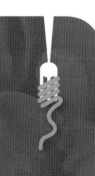

Preparación

Por lo menos con 2 horas de anticipación, macerar las setas cortadas en tiras con el aceite de oliva, el orégano y la sal. Escurrir el exceso de aceite antes de usar esta preparación.
Freír u hornear el tocino y reservar. Cubrir la masa con la salsa pomarola, esparcir el queso mozzarella, y colocar las setas y el tocino. Llevar al horno precalentado a 200 °C o 390 °F por 15 minutos o hasta que la masa esté dorada y el queso derretido. Sacar del horno, colocar las alcaparras y servir.

Tiempo: 30 minutos / Porciones: 4

Pizza hawaiana con pollo

Ingredientes

1 masa de pizza familiar (30 cm) • 4 cdas. de salsa pomarola • 200 g de queso mozzarella rallado • 100 g de pollo cocido y deshilachado • 100 g de jamón inglés • 2 rodajas de piña en conserva • Sal y orégano seco al gusto

Preparación

Untar la masa con la salsa pomarola y cubrir con parte del queso mozzarella. Colocar cortes delgados de jamón. Agregar el pollo, la piña y el resto del queso. Sazonar con sal y esparcir orégano seco. Llevar al horno precalentado a 200 °C o 390 °F por 15 minutos o hasta que gratine.

Tiempo: 30 minutos / Porciones: 4

Se la prepare como acompañamiento o como plato principal, la ensalada es una merienda imbatible. Fría o caliente, la mezcla de colores y texturas que presenta y su característica frescura hacen de ella una protagonista de lujo en cualquier mesa.

Ensaladas

Vinagreta
tradicional

INGREDIENTES

Sal y pimienta al gusto • 1 cdta. de mostaza • 2 cdas. de vinagre • ⅓ tz. de aceite vegetal

PREPARACIÓN

1

Colocar la sal en un bol.

2

Agregar pimienta recién molida.

3

Añadir una cucharadita de mostaza.

4

Verter el vinagre.

5

Integrar los ingredientes.

6

Incorporar el aceite en un chorrito fino.

Aderezo de yogur

INGREDIENTES

Sal y pimienta al gusto • 1 cdta. de mostaza • 1 tz. de yogur natural • Especias al gusto • 1 cdta. de aceite de oliva

PREPARACIÓN

1

Colocar la sal en un bol.

2

Agregar pimienta recién molida.

3

Añadir una cucharadita de mostaza.

4

Verter el yogur.

5

Comenzar a integrar los ingredientes.

6

Añadir especias al gusto (eneldo, orégano, etc.). Incorporar el aceite en un chorrito fino, sin dejar de mezclar.

Ensalada caprese

Ingredientes

250 g de pasta tipo aritos • 1 tz. de queso mozzarella en cubos de 1 cm • 1 tz. de tomates pelados y picados en cubos • 1 tz. de hojas de albahaca en tiras

Aderezo: 4 cdas. de aceite de oliva • Sal, pimienta y orégano al gusto

Preparación

Cocinar los fideos *al dente*. Pasarlos por agua fría, echarles un chorrito de aceite y reservar.
Mezclar los fideos con el queso mozzarella, el tomate y la albahaca. Salpimentar y rociar el aceite de oliva.
Esparcir orégano seco al gusto y servir.

Tiempo: 30 minutos / Porciones: 4

Ensalada a la carbonara

Ingredientes

300 g de fideos en forma de coditos • 2 huevos duros picados • 150 g de queso edam picado • 100 g de tocino • 2 cdas. de perejil picado
Aderezo: ½ tz. de aceite de oliva • ½ tz. de yogur natural • 1 cdta. de mostaza • 1 diente de ajo • Sal al gusto

Preparación

Cocinar los fideos *al dente*. Pasarlos por agua fría, rociarles un chorrito de aceite y mezclarlos con el huevo picado y el queso.
Cortar el tocino en tiras y freírlo hasta que esté dorado.
Para el aderezo, emulsionar el aceite, la mostaza, el yogur y el ajo finamente picado; sazonar con sal. Aderezar la ensalada y servir con el perejil y el tocino picado y frito encima.

Tiempo: 30 minutos / Porciones: 4

Ensalada con vegetales a la plancha

Ingredientes

250 g de pasta corta en forma de conchitas • 3 cdas. de aceite de oliva • ¾ tz. de berenjenas en cubos de 2 cm • ¾ tz. de zapallito italiano cortado en cubos de 2 cm • ¾ tz. de bulbo de hinojo o de troncos de apio en tiras • ¾ tz. de tomate pelado y picado • ½ tz. de pimiento amarillo en tiras • 1 cebolla blanca chica cortada en aros • 1 cda. de perejil picado • Sal y pimienta al gusto
Vinagreta de ajos asados: 1 cabeza de ajo • ⅓ tz. de aceite de oliva • 2 cdas. de vinagre balsámico • Sal y pimienta al gusto

Preparación

Cocinar los fideos *al dente*. Pasarlos por agua fría, rociarles un chorrito de aceite y reservar. Calentar el aceite de oliva en una sartén a fuego moderado, saltear la berenjena, el zapallito italiano y el hinojo en tiras (o los troncos de apio) por 5 minutos. Agregar el tomate, el pimiento y la cebolla. Salpimentar, saltear 5 minutos más, retirar y mezclar con los fideos. Para el aderezo, cortar la parte superior de la cabeza de ajo y envolverla en papel aluminio. Llevarla al horno a 180 °C por media hora, retirar, dejar enfriar y apretar suavemente para quitar la cáscara. Licuar los ajos asados con el aceite de oliva, el vinagre, la sal y la pimienta. Aderezar la ensalada a gusto y servir con perejil picado encima.

Tiempo: 30 minutos / Porciones: 4

Ensalada florentina

Ingredientes

300 g de pasta corta en forma de corbatitas • 1 tz. de espinacas cortadas en juliana • 150 g de jamón cortado en cubos • ½ pimiento rojo cortado en cuadraditos • 8 huevos de codorniz cortados en mitades • 100 g de queso de cabra maduro • Aderezo de yogur

Preparación

Cocinar los fideos *al dente*. Pasarlos por agua fría, rociarles un chorrito de aceite y unirlos con las espinacas, el jamón, el pimiento y el queso de cabra.
Condimentar la ensalada generosamente con el aderezo de yogur y decorar con los huevitos de codorniz y un poco de la espinaca picada muy fina.

Tiempo: 30 minutos / Porciones: 4

Ensalada del zar

Ingredientes

350 g de pasta corta en forma de espirales • 1 manzana verde cortada en cuadritos • 60 g de prosciutto o jamón picado • 1 zanahoria cocida y picada en cuadritos • 6 espárragos • ¼ tz. de arvejas cocidas
Aderezo: ¼ tz. de mayonesa • ½ tz. de yogur • 1 limón • 1 cda. de mostaza dijón • Sal y pimienta al gusto

Preparación

Cocinar los fideos *al dente*. Pasarlos por agua fría, rociarles un chorrito de aceite y reservar.
Cortar e integrar todos los ingredientes cuidadosamente.
Para el aderezo, emulsionar la mayonesa con el yogur, el limón y la mostaza. Salpimentar al gusto.

Tiempo: 30 minutos / Porciones: 4

Ensalada con portobellos al roquefort

Ingredientes

250 g de fideos tipo espirales o tornillos • 200 g de hongos portobello en láminas • ½ tz. de pimiento rojo en cuadros • ½ tz. de zanahoria en juliana • 2 cdas. de aceite de oliva
Aderezo: ½ tz. de mayonesa • 80 g de queso crema • 80 g de queso roquefort o azul • ¼ tz. de leche evaporada • Sal al gusto

Preparación

Cocinar los fideos *al dente*. Pasarlos por agua fría, rociarles un chorrito de aceite y reservar.
Calentar el aceite de oliva en una sartén, saltear los hongos portobello y dejar enfriar.
Unir los fideos con el pimiento y la zanahoria, servir con los hongos portobello.
Para el aderezo, licuar el queso azul con la leche, añadir el queso crema y luego la mayonesa, sazonar con la sal.
Aderezar la ensalada al gusto y decorar con perejil picado.

Tiempo: 30 minutos / Porciones: 4

Glosario

Achiote: Urucú, onoto o bija, colorante natural rojizo que otorga la semilla de la especie *Bixa orellana*.

Ají amarillo: Variedad de ají con poco picante. Podría reemplazarse por algún tipo similar de chile.

Ajonjolí: Sésamo.

Al dente: Cocción que permite a las pastas o verduras quedar cocidas pero firmes.

Alcachofa: Alcaucil.

Alcaparras: Capullos de un arbusto del mismo nombre; por lo general se consiguen ya envasadas o encurtidas.

Arúgula: Rúcula, variedad de hoja verde parecida a la lechuga, de sabor muy particular, medio amargo.

Blanquear: Escaldar o pasar un alimento por agua hirviendo unos minutos y después por agua helada, para detener su cocción.

Blue cheese: O queso azul, es el nombre general para quesos de leche de cabra, oveja o vaca. Roquefort y gorgonzola son los más conocidos.

Brotes de soja: Frijolito chino.

Ciboulette: Cebolla de verdeo, cebollita china.

Cilantro: Culantro.

Conchas de abanico: Vieiras.

Eneldo: Dill.

Frijolito chino: Brotes de soja.

Gratinar: Tostar o dorar por encima en el horno.

Grillar: Método de cocción sobre una plancha o parrilla.

Hinojo: Anís. Se usan sus semillas, el bulbo y las ramas.

Jengibre: Kión.

Jolantao: Arveja china.

Juliana (en): Tipo de corte más grueso que el de pluma.

Kión: Jengibre.

Langostinos: Gambas.

Laurel: O lauro, arbusto con hojas muy aromáticas

Maicena: Fécula de maíz.

Morroneado: Forma de cocción específica para los pimientos. Consiste en colocarlos sobre las llamas directamente hasta quemar su cáscara, para luego retirarla.

Nuez moscada: Especie de nuez que se utiliza rallada.

Páprika: Pimentón seco molido que da color y sabor a las comidas. Tiene variantes dulce, agridulce y picante. Su color puede variar del rojo-naranja al rojo-sangre.

Pecanas: Similares a la nuez común, con un sabor ligeramente más dulce.

Peperoncino: Nombre italiano del chile. Se usa, por lo general, en polvo, para dar sabor picante a las pastas.

Piñones: Especie de nuez que es la semilla de una variedad de pino europeo, el piñonero, muy distinto de los asiáticos y americanos, que también producen una semilla llamada piñón.

Portobello: Hongo rico en minerales, de agradable sabor y de gran tamaño.

Prosciutto: Jamón crudo o curado, de procedencia italiana.

Puerro: Poro.

Queso azul: Blue cheese. El roquefort y el gorgonzola son los más conocidos.

Queso brie: Es un queso de pasta blanda elaborado con leche de vaca.

Queso cabaña: Queso cottage. Es producido con cuajada y tiene un sabor suave. Se escurre pero no se prensa, por lo que retiene algo de suero y no queda compacto.

Queso edam: Semiduro, de textura firme, originario de la ciudad holandesa del mismo nombre.

Queso feta: Queso de leche de oveja de origen griego.

Queso fresco: Queso blanco. No se madura después de su fabricación y por su humedad tiene corta duración.

Queso gorgonzola: Queso azul de procedencia italiana.

Queso gouda: Originario de la ciudad holandesa del mismo nombre, de color paja, semiduro y con hoyitos.

Queso gruyer: Queso duro de leche de vaca, con agujeros, proveniente de Gruyère, región de Suiza.

Queso mantecoso: Untable, cremoso y consistente, con alto contenido de grasa y sal.

Queso mozzarella: O queso de mano. Fibroso, se derrite fácilmente. Originario de Caserta (Italia), en donde se prepara con leche de búfala.

Queso parmesano: Queso duro procedente de Parma (Italia), ideal para ser rallado.

Refractario: Resistente al calor del horno y al choque térmico.

Ricota: Requesón.

Rocoto: Locoto, chile de cera, chile manzano o perón.

Romero: O rosmarino.

Salsa blanca: Similar a la salsa bechamel, también se elabora con mantequilla, harina y un líquido que puede ser caldo, leche o crema de leche.

Salsa de ostión: Típica de China, es una salsa de sabor salado espesa, de color café oscuro, elaborada con ostiones, ostras y salsa de soja.

Salsa de soja o soya: Sillao o sillau.

Sardina: Pescado de carne oscura rico en proteínas y hierro, con alto contenido de ácidos grasos Omega 3 y 6.

Sellar: Dorar la carne a fuego fuerte.

Sésamo: Ajonjolí.

Soasar: Forma de cocción en la que se doran verduras o carnes a fuego vivo rápidamente, para dejar el centro crudo.

Tinta de calamar: Pigmento negro extraído a los calamares.

Tocino: Bacon o panceta.

Vieiras: También llamadas conchas de abanico u ostiones. Es un marisco muy suave que tiene un coral muy apreciado y de sabor agradable.

Zucchini: Zapallito italiano.

Equivalencias

1 cucharada de harina = 15-20 gramos

1 cucharada de aceite de oliva = 14 gramos

1 cucharada de mantequilla = 25-30 gramos

1 taza de harina = 100 gramos

1 taza de mantequilla = 200 gramos

Medidas para sólidos

1 cucharada = ½ onza = 15 gramos

2 cucharadas = 1 onza = 30 gramos

¼ taza = 2 onzas = 60 gramos

½ taza = 4 onzas = 120 gramos

¾ taza = 6 onzas = 180 gramos

1 taza = 8 onzas = 240 gramos

2 tazas = 16 onzas = 1 libra

Medidas para líquidos

4 tazas = 1 litro

1 taza = ¼ litro = 8 onzas

1 taza = 16 cucharadas = 227 gramos

½ litro = 16 onzas

1 cucharada = 2 cucharaditas

1 cucharadita = 60 gotas

Pastas